살면서 보고, 느끼고, 찍고, 쓰기

여 다윗 탁 대장의 일상 속 행복 찾기

솔꽃 탁경숙 지음

탁경숙 작가는 1967년 전북고창에서 출생.
대산초등학교, 대성중학교, 이리여고에서 공부.
2022년 서울시민대학교 시민학사 학위취득
현재 서울시민대학교 석사 공부중.

전업주부로서,
현재 금천구자원봉사센터 금빛찬란동아리회장, 금천구
시흥1동주민자치회 동네안전분과장, 마미캅대장,
마을지원활동가,
1인미디어콘텐츠 강사, 글쓰기책쓰기 강사.
함성소리회원(학습동아리), 마을강사,
금천구서예협회작가,
금천구 교육협치추진운영위원,
금천구 교육협치 복지분과위원 등
다방면에서 봉사 활동하고 있습니다.

살면서 보고, 느끼고, 찍고, 쓰기

여 다윗 탁 대장의 일상 속 행복 찾기

솔꽃 탁경숙 지음

진달래 출판사

여 다윗 탁 대장의 일상 속 행복 찾기
인　쇄 : 2022년 4월 11일 초판 1쇄
발　행 : 2022년 4월 18일 초판 1쇄
지은이 : 탁경숙
펴낸이 : 오태영
표지디자인 : 노혜지
출판사 : 진달래
신고 번호 : 제25100-2020-000085호
신고 일자 : 2020.10.29
주　소 : 서울시 구로구 부일로 985, 101호
전　화 : 02-2688-1561
팩　스 : 0504-200-1561
이메일 : 5morning@naver.com
인쇄소 : TECH D & P(마포구)

값 : 15,000원
ISBN : 979-11-91643-50-3(03230)

목 차

<들어가는 말>

모든 영광 하나님께 돌립니다.

우리는 일상이라는 곳에서 무언가 열심히 찾아가며 만들어갑니다. 물론 저도 그중의 한사람입니다.
저는 어려서부터 일기 쓰기를 했고 핸드폰을 이용해서 SNS에 일상을 습관처럼 매일 기록을 합니다.
매주 일요일에는 교회에서 설교 말씀을 들을 때 말씀을 놓치지 않고 받아써서 기록해왔습니다.
이렇게 반복적인 행동을 통해서 글쓰기 습관을 몸에 익히고 나를 정리하는 소중한 시간을 갖게 되었습니다.

이런 평범하지 않은 나의 일상은 매번 즐겁기만 하지 않았습니다. 주변의 시선과 눈치 때문에 때로는 나 자신이 원하지 않는 것을 하며 살 때도 있었습니다.

그렇지만 무엇이 내가 원하는 것인지도 모른 채 무조건 열심히 열정을 가지고 일상을 보내며 저는 꾸준히 쓰고 찍었습니다.
평범치 않은 저의 일상 속 수많은 일과 관련된 사진들, 그 속에 있는 사람 이야기들을 저의 SNS와 블로그에 기록해놓았습니다.
그것들을 필요할 때 찾아보는 저장고로 삼아, 지식을 나누는 지식인 지존(至尊) 탁경숙이였습니다.

그런 제가 책을 만들어야겠다고 생각을 하게 된 것은 평범한 사람이나 평범하지 않은 사람들에게 저의 부족한 경험과 생각들이 소소한 표현이지만 조금이라도 도움이 되고 위로가 되었으면 하는 오래전 꿈 때문이었습니다.

꿈은 누구에게나 기회를 줍니다.

일상생활을 하는 동안 자신의 인생을 주인답게, 의미 있게, 즐겁게, 지금!! 현재!! 잘 누리며 행복했으면 하는 마음에서 저는 꿈을 포기하지 않고 일기 쓰듯 글을 써 나아갔습니다.

이 모든 것은 서로 도우며 다양한 관계를 사랑, 실천, 희생과 봉사로 함께 주고받을 수 있었기에 가능했습니다.

감사합니다. 고맙습니다.

앞으로도 저의 일상이 기록이 돼 또 다른 책들을 만들어 소중한 나눔을 계속할 것입니다.

포기하지 않으면 꿈은 반드시 이루어집니다.

솔꽃 탁경숙 올림

Part 1

언제나 긍정 마인드로

봉사하며

어서 오세요

3년 만에 사람들 맞이할 준비 끝.
당신이라면 이제는 괜찮아요.
어서 오세요~~어서 오세요.
코로나 19가 나를 보러오는 것을 막았어요.
3년이라는 시간이 너무너무 길었죠~.
2022년 4월에는 방긋방긋 웃는 저와 함께 웃어봐요.
활~~짝.
오늘 3일 완전 준비 완료.
환하게 피어날 내 모습~~변신을 위해….
제 옆에 서서 찰칵찰칵 찍어주세요.
그리고 저와 함께 아름다움과 행복을 나누어요.
어떻게~~?
마음껏~~~.
사랑해요~~저는 벚꽃이래요~^♡^

늙어서도 부부

저 멀리서 두리번두리번 ~
다정다감은 없다.
대화가 지시하고 받아준다.

빨리 와~ 천천히 가~.
자꾸자꾸 두 분 거리가 멀어진다~
하지만 가다가 뒤돌아보고 기다리고….
다시
옆으로 나란히 가다 보면 또 멀어진다~~.
뒷모습에서 서로가 힘이 되는 소중한 부부
그러나 거리 두기가 자연스러운 노부부 ~~
건강하세요!
행복하세요!

양귀비꽃

환하게 웃고 있는 양귀비꽃.
내가 심은 꽃이 활짝.
코로나 19 극복을 위해서 꾸준한 봉사 활동을….
웃는 양귀비꽃을 보면서
서로에게 좋은 칭찬 하면서 웃어요
해피~^^

내 마음의 삼각형

이른 아침~평소 때와 마찬가지로 봉사하러 나왔다.
그런데 멀리서 들려 오는 소리
바닥에 부딪히는 쇳소리
난 쇳소리를 따라 가보았다.
바로 지팡이 소리
나는 얼른 옆에 가서 물었다~
어머니 이른 아침에 어디 가세요~
이렇게 춥게 입으시고~~
할머니 하시는 말씀
손주 밥해주려고 반찬 사러 가~
얼른 가야 혀~~~하시면서
불이 켜진 마트로 지팡이에
당신을 맡긴 채 서둘러 가셨다.
온 힘을 다해 지팡이를 의지해 걸으시는 모습이
나의 눈에는 힘들고 추워 보였지만
당신의 포근한 마음에
나 스스로가 내 마음의 정삼각형을 그려 본다

사랑과 희생과 실천을

힘이 되는 것이 있다

피할 수 없는 피로와 스트레스.
이대로라면 오미크론의 공격을 받을 수 있다.
그러나 힘이 되는 것이 있다.
바로~~~탱글탱글한 방울토마토.
흐르는 물에 깨끗하게 씻어서 입속으로….
나를 위해~
여유로움을 가지고 ~~
하하하 호호호 웃으면서
행복한 생각을 하면서 감사로 시간 가져요~^^.
해피.

투표

너도 한번
나도 한번
누구나 한 번이라는 선택할 기회가 주어졌죠.
투표할 시간 5년에 한 번호지요.
한표 한표 소중하지요.
미련이야 많겠지만
물론 후회도 많겠지요.
어차피 누군가는 선택해야 하는걸~.
찍자. 찍어~!!.
꿈을 갖고 웃으면서 행복하게 선택해요.

동심으로

동심으로
동네방네가 하얀색 옷을 입었어요.
오랜만에 내린 눈에 잠시 발걸음을 멈추었어요.
심리적 편안함을 동심으로 표현하기 위해
적설 함 위 하얀 도화지 위에 글씨쓰기.
사랑실천.
겨울 속 하얀 눈은 나의 도화지.

건강~^^~

따뜻한 마음

따뜻한 마음이란 무엇일까?
뜻깊은 마음으로 소중한 것, 필요한 것을 대가 없이
한없는 사랑으로 주는 것.
마스크가 우릴 코로나 19로부터 보호를 하고
스스로가 웃음으로 얼굴에 활짝….
음~~~하늘을 붉게 태우는 저 태양의 노을처럼
뜨거운 사랑실천
코로나 19로 인해 힘들어도 함께
따뜻한 마음으로 이겨내요.

나를 위해서 달린다

그때~
세게 부는 바람에 자기 몸을 흔들며
나를 환영하는 버드나무가지들.
쌔~~앵 쌔~~앵 리듬을 타며
신나게 흔들 수 있게 만들어 주는
바로~바로 주위에 불빛 네온사인.
그~~네온사인은 흐르는 물에
더 반짝반짝 ~~.
강하게 부는 바람으로 춤을 추는 버드나무 가지를 보며~
탁이도 쌔~엥 쌔~~엥 부는 바람을 등에 업고 달리고 달린다.
나를 위해서….

21세때의 나에게, 21세가 된 너 '복지관'에게

21세 때 탁이 덕분에
지금이 재미가 있고 행복해요.

구수한 사투리 한마디에도
정다움과 포근한 마음이 흐르고
얼굴은 둥근달처럼 환해지지요.

탁이가 아무도 없는 서울 밤길에 있었을 때도
환한 등불 밝은 마음으로
웃게 해주고 활기를 준 21세 탁경숙

매끄럽지 않은 사투리 섞인
말투로 나의 마음을
온유하게 다듬어 주며

훈훈한 인정과 신뢰가 되어
행복 미소로
입꼬리에 하얀 이빨 위 반달을 매달아 주어요.

21세가 된 너 '복지관 '에게
응원을 아끼지 않을게요
순간순간 사랑의 울림으로 우리에게
따뜻한 기운을 북돋아 주는 놀이터.

당신 덕분에

새 힘이 솟아나요.
"덕분"이라는 말
제일 소중하고 귀한 말
이말 한마디에 21세가 된 너 '복지관 '은
우리에게
따뜻한 사람 놀이터가 된 거예요.

고마워요.
우리의 행복은 당신 덕분이에요.

"행복은 찾아오는 것이 아니라
늘 주위에 머무는 것"이라고 합니다.

고개 숙인 해바라기를 보면서

해맑은 하늘을 배경 삼아
해바라기가 고개를 숙이고 무언가 생각한다.
한때는 해바라기가 해를 향해 높이 들고 나를 봐~~~.
하하하 ~~~.
그러나 지금!!
해바라기의 보이는 모습은
보이지 않는 생각이 자란 열매로
고개를 숙여
바라보는 나에게 기회를 준다.

너의 생각에 무엇을 심었는지….
.
.
.
고개 숙인 해바라기를 보면서 탁경숙 씀.

버섯을 안고

코로나 19로 인해 만들어진 것들
거리 두기, 마스크 쓰기.
그러나 나무는 참~~ 너그럽다.
나무의 몸을 벗 삼아 함께 피어나는 버섯을 안고
몸을 내어준다.
갈라진 나무의 틈새 방역을 위해서인가?~?~
붉은색 버섯을 안고 있다.
자꾸만 멀어지는 사람들과는 달리
고목과 버섯은 가까이에서 서로를 닮아 가는 멋진 모습.
코로나 19가 저 멀리 사라져서 우리도 가까이에서 속삭이는 때가 빠르게 오길 바라요.

계란가지

앗~~계란이다.
대롱대롱 매달려서 익어간다.
더위 속에서 가지꽃을 피고
그 꽃이 지고 나면 계란모양 가지가 열려요.
색깔도 모양도 계란~^^
어려운 환경을 친구 삼아 꿋꿋이 매달려서
오가는 우리의 발걸음을 멈추게 한다.
대롱대롱 ~~ 행복을 나눈다.

고마워~~~

장미꽃과 함께

오월은 장미의 계절.
이곳저곳에서 활짝 웃는 꽃.
코로나 19로 힘들고 지치는 데 힘이 되어주는 꽃
울긋불긋 활짝 웃는 꽃, 장미꽃들.
장미의 진한 향기를 벗 삼아 함께 이겨내요.
힘내세요.
하하하하하하 ~~~
장미꽃과 함께 친구 되어 행복 행복 ~~
감사합니다.

결혼

새로운 출발 ~^^. 결혼.
아들딸이 자라서 스스로 만들고 살아갈 둥지를 향해
출발 ~
가족, 친척, 친구, 이웃들 앞에서 힘차게 출발.
달라지는 결혼식 절차~~
함께 입장.
양가 부모님께 인사.
내빈들께 인사.
혼인 서약.
반지 끼워주기.
주례 대신
사회자의 진행에 따라서 양가 부모님들의 덕담.
목사님의 기도
마무리 신랑·신부의 인사
그리고 함께 출발~~~
바로바로 새로운 둘이 만들어 갈 둥지로~~
축하 속에….

행복 속에서

행복과 행운은….
우리의 삶의 필요한 것들이 많아요.
걷다가 보면 행복은 길거리 거리 한가득.
하지만 난 무언가 열심히 찾아요.
푸르른 행복 속에 숨어 있는….
이리저리 찾고 또 찾아 행복 속에 행운을.

와후~~ 드뎌 ~~찾았어요.
네 잎 클로버를~~
행복 속에 찾은 행운을
사랑으로 고이고이 간직해요~~
행운을 위해 기도로….

죽음으로…

"소중한 사람이 조만간 우리 곁을
영원히 떠나갈 수도 있다.
그러니 마음 단단히 먹자.
언젠가는 예고 없이
찾아오는 한 가정의 책임자라는 생각으로
책임 있게 살자.
가족들에게 사랑으로….
가까이에서 젊은 가장의 죽음을 보고서….

벚꽃길

서울 둘레길이 변했어요.
연분홍 꽃길로~~벚나무의 행복 미소
봄의 선물~~연분홍 미소로 활짝~~
힘들어도 함께 웃음으로 이겨내라.
응원해요.
바람에 자기 몸을
한 송이 송이 눈꽃 송이가 되어
날려주네요.
힘내라 ~힘.
꽃길을 걸으면서 인생길도
꽃길을 걸으라고….

비행기 ✈ 타고

함께 이겨내요

하늘 위에서 응원할게요.
비행기 타고 ✈
하늘을 날아가면서 안전을 위해 기도로….

함께 이겨내요.

봄바람이 우리 곁을 다가오고 있어요
그러나
그 속에 코로나 19도 함께 있다는 걸 잊지 마세요.
거리 두기 실천으로 안전한 우리가 돼요.
힐링으로….

졸업과 입학

졸업 축하해요.
코로나 19가 졸업의 나눔을 바꾸어 버렸다

거리 두기….
나눔 방역으로….

준비해 놓은 꽃다발의 주인공은 저 멀리….
그래도 네가 있어 행복한 시간 ~~
바로 졸업

또 다른 기다림.

바로 입학.
이마저도 코로나 19가 먼저 경고를 한다.

거리 두기 실천으로 안전한 입학을 하라고.
그래서 꽃다발의 주인공은 마스크를 쓰고
인사로….
감사합니다.
새로운 시작
함께 이겨내요.
축하해요 ~~화이팅 ~^^.

철쭉꽃동산에서

동산은?
마을에서 바로 보이는 우리 동네 앞동산.
봄이면 앞동산의 철쭉꽃이 활짝 피어
꽃송이 송이들이 뭉쳐서 꽃동산으로 변신.
바로 5월~지금!!
꽃향기가 솔솔~
울긋불긋 예쁜 모습으로 꽃피우고
사람들에게 아름다운 동산으로 불러주는
예쁜 꽃의 마음.
오는 사람들 누구나의 놀이동산이 되어 주고
그들과 함께
사귀어 친구처럼 같이 놀아요~
그리고 멋진 친구가 되어 인증샷~^^
하하하 호호호 ~~꽃동산의 웃음으로.
힐링~^^~

주인을 기다리는 허수아비

주인이 사라졌어.

겨울~ 우리가 할 일이 사라졌어.
으~~~음.
기다리자. 주인이 오고 있어.
다행이네요. 가까이에서 속삭이는 봄바람이
이제 곧 너의 주인들이 찾아오니
할 일이 있을 거래요.
허수아비가 겨울에 추위를 견디고
수수하게 서서 기다리는
아저씨, 아줌마 허수아비들의 주인이
서서히 찾아오네요.
허수아비에게 할 일을 주는 봄~~~으로.
힘내요.
견뎌요.
이겨내요.
아자 아자.

입춘이 준 선물

2월 3일 겨울 끝 봄의 시작의 날.
봄과 함께 밤새도록 준 하얀색 반짝반짝이
이불처럼 뽀송뽀송한 눈.
그러나 눈을 뜬 현실의 아침은
또 다른 하얀색이 기다린다.
바로바로 눈 치우기 염화칼슘
뽀송뽀송한 눈이 그 위를 걸어야 하는 우리에겐
위험한 이불.
봄이 오면서 준 선물 뽀송뽀송이도 안전을 위해 또 다른
하얀 이를 뿌리고 뿌려서 녹게 만들어요~
안전을 위해….
2021년 봄이 준 선물을 녹이듯
코로나 19도 함께 녹여버리고 이겨내요.
화이팅 ~^^

위험한 눈길

하얀색으로 뒤덮인 하늘과 땅.
뽀송뽀송 내리는 눈이 아름다운 송이에서
차도로 내리는 순간 변해요.
위험한 눈길로~
차들은 말해요.
치워주라고~~
열심히 눈 치우기로 대답하죠~
왜~~?
안전을 위해 필요한 것은
내리고 또 내리는 눈을 치워야 해요.
쓰으싹~쓱싹~~
내리는 눈의 아름다움이 변했어요~~
.
.
아시죠~?~

잠자는 눈곰

하늘에서 펑펑 눈이 내려
하얀색으로 무언가를 만들고 있어요.
눈이 내려앉은 곳마다 만들어지는 모양들.
어~~하게 하며
나를 멈추게 하는 눈이 있어요.

바로바로 자전거 위에서 편안히 자는 눈곰.
새근새근
잠자는 눈곰이 깰까 봐
살금살금 다가가서 찰칵~^^

행복한 미소짓고 잠자는 눈곰으로
저절로 행복 미소가 지어져요.
해피~^^
모두 모두 행복한 눈곰되세요~^^

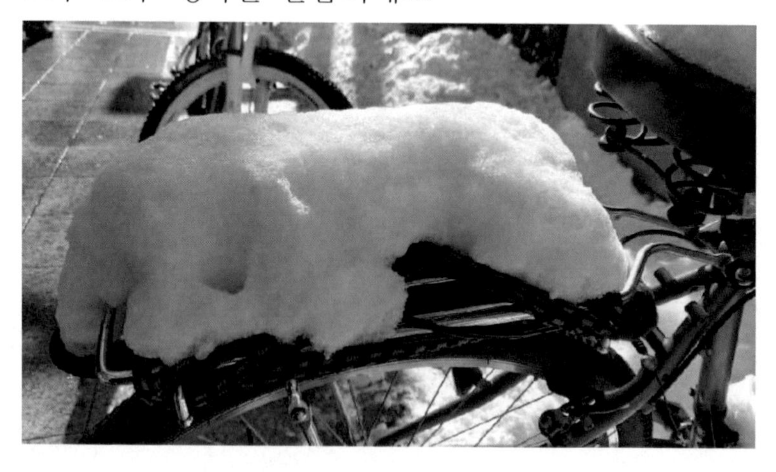

어떻게 해야 할까요

아프다.
슬프다.
울고 싶다.
어떻게 해야 할까?
코로나 19로 모든 것이 멈춰버리려고 하니….
주변에서 들려 오는 소리.
제발 이길 수 있게 해주세요.
오늘 하늘처럼 깨끗한 세상이 되게 하소서.

Part 2

언제나 긍정 마인드로

행복하게

서울의 불이 꺼진다

서울시의 불이 꺼진다.

서울시가 코로나 19로
울지 않기 위해
시간을 멈추고 있네요.
의심할 수 없는 사실.
불이 꺼져요~~꺼져요.
이젠 우리의 작은 실천만이
꺼진 불~바로 코로나 19로 꺼진 불이~
진실은 코로나 19로부터 해방을 위한 꺼진 불~~
다시 다짐하고 지켜주세요.
코로나 19 사라지게 실천으로….
간절히….

고시원의 감

발길을 옮긴다.

고달픈 마음으로….
시험 시험 시험~~
원서로 시작~~~~
감나무를 의지하고 있는 4개의 잎~
잎이 다 떨어지고
앙상한 가지에 대롱대롱 모습을 드러낸
고시원의 나무의 감들
왠지 풍부하고 여유로운 마음보단~~~
힘들다고 애원을 하는 감~~~
저 멀리 보이는 십자가를 보면서
원서 내고 공부하고 치러야 하는 시험들~~~
원하는 만큼 좋은 감이 되게….
제발~~남겨져 그냥 떨어지지 않길….
대롱대롱
대롱대롱~~~

코로나 19라는 불청객이 하는 일들

2020년을 사람들 거리 두기를 2m로 해 놓고 있다.

각각의 색상을 가지고 있는 선택받은
마스크 쓰는 것이 의무가 되어버린 지금.

세계적인 코로나 19 법이 자연스럽게 만들어져 있다.
바로 사회적 거리 두기.
1단계.
2단계.
~~~~~~
하지만 더 무서운 건
사람들 마음속까지 거리 두기가 되어가고 있다.
서로서로 이해 불가.
분노. 불안. 두려움.
마스크 속에 숨어버린 얼굴에 미소~~~
.
.
마스크 보호 아래 사라져가는 사람들의 이해와 배려.
코로나 19야! ~~~
떠나라 ~~빵야 빵야 ~~~
힘내세요 ~~~코로나 19는 우리를 정복할 순 없습니다.
단지 면역력을 높여주는 것 중 하나입니다.
함께 실천으로 안전하게 이겨내요.
~~~~~~

있을 때 잘해

후회 없이 살 수는 없겠지만
되도록 덜 후회하며 사는 방법의 표현 중의 하나가
'있을 때 잘해'라는 말로 이 말은
'나 자신'과 '현재'에 최선을 다하라는 것이다.

그러려면 '오늘' 즉 '지금'이 시간 최선을 다해야 한다.
지금이라는 시간을 어떻게 내 편으로 끌어가느냐에 따라
내일의 인생이 결정되므로

보고 싶은 사람보다
지금 보고 있는 사람을 사랑하고,
하고 싶은 일보다
지금 하는 일에 열중하며,
미래의 시간보다는
지금의 시간에 최선을 다하는 것,
이것이 지혜이며
평생 자기관리를 잘 하는 것이다.

젊을 때
노후준비를 잘 하여 건강하고 아름다운
노후를 맞이하고,
건강할 때 건강관리를
철저히 하여 건강한 생을 살아야 한다

장마철 장미꽃이

꽃들이
내리는 비를 가지고
화장했네~~

와~~예쁘다고 하기 전에
우리를 보고
방긋방긋 웃고 있네.

웃는 장마철 장미꽃이 예뻐요 ~^^

주어진 것이 무엇이든~~행복하게 ~~~

감사합니다

인생이 나그네와
    같다는 것은 어떤
        뜻일까요?

인생은 이 세상에서 얼마 동안 나그네와 같이 살다가 떠나간다는 뜻입니다.

인생은 안개와 같이
잠깐이라는 뜻입니다.

어린 시절은
아침과 같고,
젊은 시절은
낮과 같고,
늙은 시절은
저녁과 같이

잠깐 지나가는 것이
우리의 인생입니다.

인생이 나그네라는 뜻은
사람이
세상에서 떠나갈 때

모든 것을 두고 가야 한다는 의미입니다.

천년만년 살 줄 알고
육신의 탐욕대로 방탕하며

사는 사람은
어리석은 사람 중에
어리석은 사람이 아닐까요?

우리는 나그네 같은
인생을 살면서,
봉사하고 베풀면서
더불어 잘 살아야 합니다.

오늘도 내가
건강함에 감사하고!
오늘 내가
일 할 수 있음에 감사하고!

오늘 내가 누군가를 만남에 감사하고!
감사가 넘치다 보면
우리의 삶도
저절로 행복해집니다.

오늘도 감사하는 마음으로 하루를 보내셔요.

참나리

참나리가….
참고 인내하며 높이 높이 올라가면
나무가 될까요 ~?~
아니요 ~~^!^~
아하~~그렇구나~방긋 웃으며
인사를 하네요.
참나리가 해 줄 수 있는 것은
막대기가 변해서~
예쁜 리본으로 변신해서
행복 가득한 공간으로 묶어놓고
겸손하게 인사를 하는 참나리~~
너.
나.
우리 모두에게 안녕~~~~으로~~~~

☆ 비단과 걸레 ☆

'비단'은 귀하지만,
모든 사람에게 반드시 필요한 물건은 아닙니다.

그러나 '걸레'는
모든 사람에게 반드시 필요합니다.

어리석은 사람은
인연을 만나도 인연인 줄 알지 못하고,

보통사람은
인연인 줄은 알아도 그것을 살리지 못하며,

현명한 사람은
소매 끝만 스친 인연도 그것을 살릴 줄 압니다.

어떤 사람을 만나고,
어떤 책을 읽고,
어떤 배움을 얻느냐,
에 따라
인생은 전혀 달라집니다.

19세기와 20세기를 대표하는 위대한 화가,
빈센트 반 고흐와 파블로 피카소.

이 둘 중 누가 더 뛰어난 예술가인지를
판단하기는 힘듭니다.
하지만, 누가 더 행복하고 성공적인 삶을 살았느냐는
명백합니다.

고흐는
생전에 단 한 점의 그림도 팔지 못해
찢어지는 가난 속에서 좌절을 거듭하다가
37세의 젊은 나이에 스스로 목숨을 끊었고,

피카소는
살아생전에 20세기 최고의 화가로 대접받으며
부유와 풍요 속에서
90세가 넘도록 장수했습니다.

도대체 무엇이 두 화가의 인생을 갈라놓았을까요?

수많은 원인이 있을 수 있겠지만
많은 경영학자는 '인맥의 차이'를
중요한 요소로 꼽습니다.

인생에 실패하는 가장 큰 원인은
인간관계라고 합니다.

고흐는 사후에 피카소를 능가할 만큼
크게 이름을 떨친 화가입니다.

그가 남겨 놓은 걸작들이 피카소의 그림보다
값이 더 나가고 있기 때문입니다.
죽고 난 뒤의 성공이 살아생전의 성공과
같을 수는 없는 것입니다.

하루에도 춘하추동(春夏秋冬)이 있습니다.
아침 5시부터 9시까지가 봄,
9시부터 13시까지는 여름,
13시부터 17까지는 가을,
17부터 21까지는 겨울입니다.

시간에는
세 가지의 성질이 있다고 합니다.

같은 시간에는 두 가지 일을 못 하는 단일성이 있고,
한 번 지나가면 다시 돌아오지 않는 순간성이 있으며,
오늘이 나의 생일이라면 다음 해에 또 나의 생일이 돌아
오는 연일성이 있습니다.

모든 사물에는 구성 요소가 있고,
시간과 공간은 구성 요소가 없습니다.

진정한 친구란

괴로울 때나 어려울 때 함께 토로할 수 있고,
갑자기 전화하거나 찾아볼 수도 있으며,

자기가 발견하지 못하는 성격의 단점을 고쳐줄 수 있는 사람입니다.

옛 경전에서는
'진정한 친구'를 '붕(朋)'이라고 표현하고 있습니다.

붕(朋)은 우(友)하고는 다릅니다.
진정한 벗인 '붕'이 되려면,

첫째, 나이를 따지지 않고(長),

둘째, 직업의 귀천을 따지지 않으며(貴),

셋째, 집안의 배경을 따지지 않아야 한다.
는 것입니다.

인맥에는 세 가지가 있다고 합니다.

1. '직업적 인맥' 구축은
   '깊이'를 중심으로 해야 하고,

2. '사적 인맥' 구축은
   다양성을 중심으로 '넓게' 하며,

3. '전략적 인맥'구축은
   적절한 균형을 추구해야 합니다.

훌륭한 인맥의 3가지 장점은

1. 질 높은 정보를 얻을 수 있고,
2. 다양한 재능을 가진 사람들을 접할 수 있으며,
3. 인맥은 일종의 권력입니다.

한 번 받기도 힘든 노벨상을 두 번이나 수상한 라이너스 폴링 박사의 경우,
화학상과 평화상이라는 서로 다른 분야에서 노벨상을 두 번이나 수상했습니다.
그의 '창조적 성공'은 탁월한 두뇌가 아니라,
깊고 다양한 인맥, 균형적인 인맥의 결과입니다.

결국,
'비단' 같은 사람보다는
'걸레' 같은 사람이 더 소중하고
이 시대에 더 필요한 사람입니다.

나는 어떤 사람일까?_?
생각해보는 시간을 가져봅니다

무궁화 꽃이 피었습니다

무궁화 꽃이 피었습니다.
활~~~짝
쨍쨍 내리쬐는 태양에 질투인~~
더위를 이겨내고
활~~~짝
강한 비에도 땅에 떨어지지 않고~
더 예쁘게 ~활짝 피었습니다.

무궁화 꽃처럼
우리가 하루하루를 보낼 때도

주변 환경은 그저 주변환경일뿐….
이기고 견뎌~~활짝 웃는 우리.

누군가의 무궁화 꽃이 되자.

꽃잎에

모든 꽃이
얼마나 아름다운 꽃잎을 지녔는지
우리는 안다.
그 꽃잎에 한 번 반하면
어떠한 생각도 사양합니다.
.
.
.
꽃잎에 영혼 빼앗겨
바로 찰칵찰칵…. 탁

설마 속에는

하얀 뭉게구름이
하늘에서
여러 가지 방법으로
하늘을 도화지 삼아 그림을 그리며
이곳저곳을 돌아다니며 아름다움을 주지요.
뜨거운 햇살 아래에서도
그 햇살을 가려 주며
믿음과 기쁨과 감사 등을
누구에게나 주지요~~

하지만 설마가 서서히 모습을 드러내지요~~
하얀 뭉게구름이
검은 먹구름이 되기 위해서 변질 중
그래도 뭉게구름을 기억하는 우리는
먹구름을 무시하죠~~

그러나 먹구름 속에 숨어있는
설마가 있죠~~
바로 배신,
아픔,
원망 등~~

이미 뭉게구름이
새까맣게 변해 무서운 먹구름으로 변질하였을 땐
설마 속에 단짝이 나오죠~~

그럴 리가 ~아니야~~어쩜~등등~~
설마는 누군가에게
일어날 가능성을 계속해서
부정~ 부정~부정으로 나와요~~

왜~~~
설마 속에는 누군가의 선과 악이 극단적 결과만 존재하기에…. 설마~~~~~그럴 리가.

영산홍

영롱한 꽃이 피었습니다.
마침 내리는 비에 꽃잎을 씻으며
코로나 19도 깨끗하게 씻어내고 있다.

산에 들에 도롯가에서 활짝 피어가며
코로나 19로 막아놓고 있는 입술을
마스크 속에서
혼자서도 행복하게 미소 짓게 하는 영산홍.

붉은 얼굴을 행복 미소로 바꾸고 힘내라고 응원합니다.
영산홍의 따스함을 느낄 수 있는 오늘~~
비 오는 날 ~^^~해피.

활짝 핀 민들레

노오란 꽃
나무에서 피어나는 꽃이 아니에요.
저는 나무처럼 한 군데에서만 있지 않아요.
바람이 저를 데리고 가서
내려놓고 간 곳이면 다 피어요.
그곳이….
아스팔트에, 돌 틈에, 바위에, 산에, 길가에, 언덕에,
사람이 많이 다니는 길에, 들판에….
또한, 누군가 나를 밟아 버릴 곳이라도
바람이 나를 데리고 간 곳은 어디서나
불평하지 않고 감사로 피어나는 민들레 ~~
노란 꽃이야~~~
어떠한 주변 환경도 노오란 나의 미소를 가릴 순 없어
웃어요~~~

함께

코로나 19로 합식은 위험~@@~

다육이가 예쁜 모습으로 변신하려면
다육이 혼자서도 예쁘지만
합식하면 더~~~예쁘게 자라요.
.
.
.
함께는 너무너무 좋은 것인데….
코로나 19가 나타나~~함께를
함~~~~~%%%&&%%~~~께로...
코로나 19 사라지게 하는 예방법을 잘~~지켜서
함께 뭉쳐서 예쁜 우리가 돼요.

찰칵찰칵

달리는 자동차에서
보이는 해.
멈출 수 없는 장소
바로 차가 다니는 도로~~
멀리서 차도를 달리는 나더러 나~잡아봐라~~~
부른다.
그래 난 널 잡을 수가 있어~~
어떻게~~~
바로~~~찰칵찰칵 찰칵찰칵으로~^^

니가 내가
원하는 대로 이뤄졌어~~~.
포기는 없다.
왜~~~필요하니까~!~

~담쟁이~

담벼락을 몸으로 하고
자라나는 나무.
봄에는 연두색 옷으로~
여름에는 초록색 옷으로~
가을에는 알록달록한 옷으로~
겨울이 오는 지금은 좀 더 진한 낙엽으로 변신~~
우리에게 겨울을 준비하라고 한다.
그리고 겨울은 앙상한 가지로 담벼락을 부여잡고
차가운 겨울에 눈으로 옷을 입을 때도 있지만
거의 알몸으로….
.
.
그러나 희망의 봄을 기다리며 담을 보호하며 기다린다.

그때

사람들은 말한다.

그때 참았더라면.
그때 잘했더라면.
그때 알았더라면.
그때 조심했더라면.
그때 칭찬했더라면.

바로 오늘이 그때가 되는데 ,
지금은 그냥 그대로 보내면서
우리는 자꾸 그때를 찾는다.

오라버님이 주신 엄나무

오늘 행복했다.
금천구 오라버님이 아픈 몸으로 어렵게 딴 엄나무를
바리바리 신문에 꼬옥 싸서 나를 주셨다.
소중한 나물이기에 고마운 마음을 가지고
버스 타고 내렸다
건널목 앞에서 이상한 냄새가 나서 주변을 보는데
검은색 차량 앞부분에서 연기가 모락모락.
난 얼른 차 앞에 가서 운전자에게 알려주었다.
그리고 계속해서
난 뒤에서 오는 차들에 사고를 알리고
마침 순찰차가 지나는 것을 잡아 세우고
사고 차량 인수해주고 집으로 왔다.
그리고 저녁에 엄나무 나물을 맛있게 만들어서 냠냠~^^
참~~뿌듯하다~^^

결혼기념일

오늘 김요섭 낭군님을 만난 지 21년
오늘 아침에
나에게 무언가 주며
고맙다고~^^
리드 목걸이와
진주 귀걸이를….
더 좋은 것은
사랑 담은 편지~^^
고마워용~~~사랑해요.

나오는 봄

봄이란 베란다부터 꽃을 피우고
그 꽃향기를 뿜어내어 사랑하게 한다.

그 사랑으로 그리움을 만들고
자연의 생명을 볼 수 있어 감탄사로 나온다

그래서인지 봉사하는 마음에
설레임으로 흙을 파고
내일 심어질 꽃씨를 보며 행복으로 나누게 된다.

지금 당장 꽃과 함께하지 못하는 봄이지만
시간의 흐름 속에 꽃으로 만나
향기를 나누며
서로 나오는 봄으로 만들고 싶다~^^~

Part 3

언제나 긍정 마인드로

어디서나

벚꽃을 보면서

시간은 자연스럽게 꽃이 피게 한다.
어젠 꽃이 필까 말까였는데 오늘은 활짝 피었다.
준비된 몽우리이기에
시간의 흐름 속에 활짝 웃으며 핀다.
그래 우리의 인생의 꽃도 준비하고 있으면 활짝 웃으며 피어나리….
그래서 열매를….
금천경찰서에 피어있는 벚꽃을 보면서.

냉이의 변신

냉이는 겨울을 보내고 있다.
이제 준비해야지
이의 없이 변신할….
변함없는 마음으로 누구에게나 전부를 줄 마음으로.
신난다.
나도 냉이의 변신을 도울 수 있어서
바로 냉이 무침으로….

언더독

바쁜 토요일. 그래도 재미있게
서울의 한복판 명동 롯데시네마에서
애니메이션 영화 "#언더독" 까지 보며
무엇인가 느끼는 날이었다.
주인에게 버려진 반려견 뭉치와 그의 친구들이
자유를 찾아서~~
DMZ로 가는 여정에서 #애완견들의 살아남는 법과
자신의 선택을 존중해주는 모습
또한, 마지막 장면이 무척 인상적이다.
험난한 여정을 이겨내며 찾은 자유와 평화.
우리가 꿈꾸는 안전한 곳을 위해서는 버린 주인의 것은
미련 없이 버리고 현실을 이겨야 하고 함께 리더가 되어
같이 가야 한다.
너 내가 아닌 우리가 되어….

목폴라

오늘 교회에 가는데 어제처럼
포근한 날씨인 줄 알았는데 나와보니 은근히 추웠다.
버스를 타려고 서 있는데 아는 동생이 나를 보더니 다가
와서 추워 보인다며 가방에서 목도리를 꺼내서 준다.
그리고 동생은 버스 타고 안녕~~~
난 동생이 준 폴라형 목도리를 하고 있다.
목이 따뜻~~
물론 내 마음은 뭉클하다.~~~
"동생은 괜찮다며 언니 하세요"~~
아끼는 목도리를
주는 사랑에
탁경숙이는 무한~~~~~~감동과 감사~♥~
아우님 고마워용~~~

겨울의 꿈

눈 위에서 열심히 움직이는 아이.
눈덩이를 구르고 있는 아이.
열심히 구루니 커지고 있다.
추위는 눈 속에 녹여
열심히 눈 덩어리 만들어가는 아이.
겨울이 주는 꿈
바로
.
.
.
눈사람~^^
함께 만들어요~^^

종로구 이화동 마을.

금천구 마을공동체 주관
[으라차차 마을 탐방 1]
"마음이 머무르는 이화동 마을 탐방"을 다녀왔습니다.

2018. 10. 31.(수) 10시~14시
혜화동 쇳대박물관 앞에서 출발~
이화동 마을을 돌면서 많은 것을 배우고 왔습니다.
이곳의 설계에서 완성까지
주민과 함께
바로 이화동 마을박물관 최홍규 관장의
10년 이상의 노력이….
울 금천구에도 활용해서 사랑실천으로….

경찰의 날

경찰의 날 금천경찰서에서도
73주년 행사를….
마미캅대장 탁경숙이도 상 받았어요.
경찰이 시민이고 시민이 경찰입니다.
배대희 금천경찰서장님과 박봉호 금천파출소장님과 함께
인증사진으로….
감사합니다.

정조대왕

정조대왕 능 행차 행사가 금천구에서 있었습니다. 비가 많이 내려 행사가 축소하고 안전을 중심으로 재현됨.
유성훈 구청장님이 일찍 나오셔서 준비자들의 의견과 결정을 따라 행사를 하시는 모습에서 행복 도시가 보였다.
태풍도 감동으로 비와 바람을 멈추어 주어서
오후 행사는 무사히
구민분들도 많은 관심 속에
함께하는 행복한 시간이었습니다.
파이팅.

가디언 출동

9월 20일 오후 8시 목요일 은행나무 사거리(우리은행 앞)에서 9월 2번째 순찰 활동.
은행나무 일대와 클린거리 선정 지역을
최종적으로 돌아보고 순찰까지.
비가 내리고 조금은 추워도 가디언출동~&^
유해환경을 깨끗한 환경으로….
실천.
탁경숙~^^가디언 대장. 화이팅

한가위 축제

한가위 축제~^^~하면 나눔과 함께
춤과 노래로 사람들이 우리가 되는 잔치.
금천문화원 수강생이 중심이 되어 나눔 잔치.
물론 이종학 원장님과 유성훈 금천구청장님 등
여러 내빈들이 함께
힐링힐링.
탁경숙 파이팅

개학과 함께

아이들의 개학과 함께
마미캅 출동.
우리 아이들의 안전을 위해서
마미캅 대장 탁경숙 출동
안전

강원도 철원에서

강원도 철원에서 만난 대단한 분
75세 남종현 박사님과 함께.
스스로가 믿음을 주는 자신감으로
번 돈을 베풀고 나누신다.
이곳은 이분이 지금껏 받아왔던 어마어마한 상들이 있는 센터….
베풀고 나누면 돈은 들어온다.
믿음은 스스로가 주인이 되어
남을 믿지 못하는 사람들을 인내로….

만남

만남~^^
우연히 걷다가
내 눈에 하얀 나비가 살랑살랑.
가는 걸음 멈추고
어디로 가나 지켜보고 있는데
나비가 사뿐사뿐 내려 앉은 곳은
노란 민들레 꽃 위.
그 위에서 살랑거리며 꿀을 먹고 있다.
나의 소중한 만남의 인사로….
나는 그들 곁으로 다가가 인증샷으로
너희의 만남을 남겨줄게~~~
고마워.
솔꽃 탁경숙.

가자~

열심히 오르고 내려간다.
각각 도착지는 다르지만
오르고 내리는 수단은 같아서
서로 함께 타고 오르며 내린다.
복잡한 곳을 지나 도착해서 차례를 기다리는 우리
가자~~~
가자~~~
가자~~~
우리의 목적지를 향해서.
주변 사람들이 방해된다고 생각하면 아니 된다.
이유는 목적지를 향해 각자의 길을 함께 가고 있기에….

어버이날

어버이날의 사랑 잔치.
"강동"에서
어제 늦은 밤 집으로 왔는데,
이번에는
고1 작은아들이 엄마와 아빠에게
정성스럽게 준비한 편지를~^^~보고….

아들~~고마워
탁경숙은 행복해~~♥♥

가지가 남긴 자국

나무의 겉 주름의 원인은 바로
나뭇가지가 자랐던 자리.
가지가지 잘~~자라고 나무의 연륜과 함께
가지도 스스로 또는 누군가에 의해 잘라
낸 그 자리는 주름이 되어 남는다.
우리 인생의 나이의 주름은
얼굴과 손과 배등에서 자리잡듯….

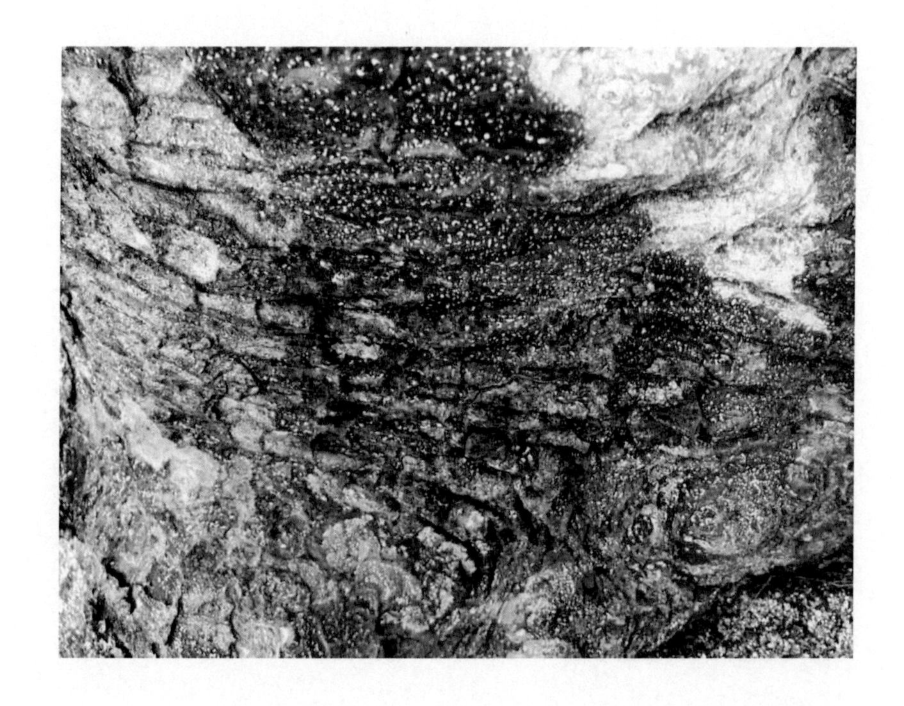

가정의 달

가정의 달 5월
연한 초록빛이 비에 젖어 무게가
더해진 오전.
오후의 하늘은 "가화만사성"하라고
구름, 해, 집, 나무가 소통하며
응원 메시지로
변해서 희망을 준다.

아파트 정원에서

아파트 정원에서
바위를 친구삼아 피었습니다.
예쁘게 피어서
아름다운 모습을 서로에게 보여주는 꽃.
함께 웃어요.
하하하
호호호
…
바위가 옆에 있어 주어
안전하다고.
그리고 쉬었다 가라고
불러요~~^^

웃으면서

마을사업 제안자, 회계책임자를 대상으로 진행되는 마을 교육이
28일 수요일 오후 2시!
#금천구청 지하 1층 평생학습관 제1 강의실에서 있었다.
#금천구청 협치의 실천이 바로바로 이곳에서.
감사합니당.
교육 후
그리고 우산속여인으로 변신

봄이 오는

봄이 오는 우리 동네 안양천에서
추위는 봄의 따스한 햇볕에 양보하고
흐르는 물에 몸을 담그고
아름답게 웃는다.
따스함을 온몸으로 느끼며 피어나는 이끼꽃.
징검다리 돌 위에서 피어나는 이끼 속에 피어나는 꽃은
징검다리를 건너는 나에게
또 한 번의 행복을….
봄의 꽃을 피우기 위해 나무들도 예쁘게 서서
따스한 햇볕에 일광욕을 하면서
푸르름을 준비 중….
나 또한, 양팔벌린 나무들 사이에서
다소곳이 폼잡고 나의 봄을 약속했다.
피어나는 나의 나무의 새싹과 꽃
잘~~~피어나게….
.
.
.
안양천을 걸으며

탁경숙이의 봄을 기다리며

봄이 오는 길목에서
무뚝뚝하게 서 있는
동장군~^^~
그래도
저 서 있는 얼음기둥을
살랑살랑 봄바람으로 녹여가며
봄은 우리한테 행복 미소
초록길을 열어 주리라.
탁경숙의 봄을 기다리며

버려진 인형

누군가 버린 인형.
답답함은 자신을 손들게 한다.
인형은 그래도~^^~
웃으면서 ~~반긴다.
나도 그냥 가지 않고 인증으로
보관을….
탁경숙~~~탁아 항상 웃자.
메리 크리스마스~^^~

해피워킹

2017년 마지막 해피워킹
걷기로 건강을 함께 챙기는
금천구청과
금천구보건소의 사랑실천 운동
7년째 변함없이~^^~실천
2018년 개의 해를 예약하며~^^
파이팅으로~^

자연의 시간~~탁경숙

순식간에 가을이 겨울로
나뭇잎에서 낙엽이 되어
부는 바람 따라 날아다닌다.
우리 사람들은 반대로
두꺼운 옷으로 변신
자연의 시간은 언제나
정확한 현실로….

광명동굴에서

오늘은 광명동굴을 가볍게 다녀왔어요.
우리 서예 샘꽃 샘과 마미캅대장 탁경숙이와 함께
힐링 시간을 가졌다.
거기서 들은 이야기
광명동굴에서 들어오는 수익금으로
광명시 초·중·고 우리 아이들 전학생들이 무료급식.
시에~~빚이 없는 도시라~~자랑하신다.

탁경숙아빠가 하늘나라에…

2004년 음력 1월 14일
지금부터 13년 전에 탁영숙이의 아빠 ((고)탁재완)께서
하늘나라에 가셨다.~~
2017년 추석을 맞아 찾아 간 곳은 아빠가 계신 산소
그곳에서 먼저 나를 반겨주는 향나무
동그랗게 아름답게 푸르게 자라서 웃어준다
아빠의 산소를 10년 동안 지켜주고 함께해준 향나무
고맙다.
아빠~~~보고 싶어~~~~~~
하늘나라에서 탁이랑 우리 가족 화목하게 잘 지내고 있
는 것 보고 계시죠!!
기다리신 아빠 대신 향나무가 살아서 기다려 주네요
항상 제자리에서

Part 4

언제나 긍정 마인드로

기뻐하며

금빛 찬란

금빛 공원에서
찾동사업에 완성
꽃밭이 1차 완성
오늘 저녁엔
특별히 더 아름다운 금빛 공원

"♥금천스마일정원♥"을 완성
LED장미꽃이 활짝~~~~~~~~~
공원에 캄캄한 꽃길도 가로등으로 환희
구청에서 박종연 전기담당자님과 조현호 주무관님이랑
가로등 시설자분도
오셔서 체크
시흥1동 식구들과 담당 전(미녀)지원 주무관님도 함께
공원에서 쉬며 나누는 대화와 여유
정말 행복한 쉼터 시흥1동
금빛 공원~^^~

나눔

탁이는 행복하다
사랑하는 아우님이
몸도 지치고 마음도 힘들게 번 돈을
큰아들 고3이라 챙기고 탁이도 챙기라
정성 가득한 편지와 함께
우리 아들들이 함께 보고
고마운 분이라며
엄마 누구시냐며~~~
감동으로~~~~~~
고마워~아우님
싸랑해~~~
탁이도 보답할게~~

사랑해

싸랑하는 탁언니
언니의 큰 사랑 늘 존경해~
지금처럼 건강하고 밝고 힘있게 마음을 지켜줘~
기특한 큰 아들 고3이라 엄마도 아들도 기운내야지!
건강 잘 챙기구.
같이 먹으면 더~ 좋겠지만 ^^ 마음만 보내~
언니 보양식 드시고 빠샤!!!

물주기

대낮에 떠 있는 달
메마른 땅 위에서는
작은 노란 꽃을 피우고
물을 달라고
웃으면서 바람에
살랑살랑
담벼락에는 여름 장미가 웃으면서
비를 기다리고 있다
탁경숙인 오늘도 공원에서 물을 주면서
기도로 비 오길….

탁경숙도 서예 작가가 되기 위해

금천구 서예가협회에서
회원님들과 함께
봉평마을(이효석문학관), 평창올림픽경기장, 오대산등등
다녀왔어요
서예 작가님들의 풍류란 바로
"인내와 여유"
나이가 들어가는 것은 바로
스스로가 쓰고 만든
인내의 작품이 알려주는 것~~
멋지셔요

걷기와 달리기

걷기와 달리기~~~나 자신과 움직이는 대화.
처음에는 쉬워 보여 힘차게 달려나간다.
그러나 불어오는 바람에 호흡이 가빠진다.
힘이 든다.
달리기에서 걷기가 된다.
숨이 가빠져서~~~포기~~~가 그러나 자신에게
걸으면서 달랜다~~달리자~~~그리고 달린다.
헉헉헉~~~와~~~~~~~~~반환점이다~
그곳에서 기다리는 자신의 다짐~~반절 완성
또 달리고 걷고~~헉헉헉~~~
저 멀리 또 나를 기다리는 것들….
도착하면 ~~해냈다~가~~~

신안천사대교에서 마라톤에 참가해서.

마미캅대장 탁경숙

더워지고 땀나는 오늘 아침 중학교 마미캅출동
물론 금천파출소 경찰들도 함께 아이들의 안전길 지킴이
거기에 녹색어머니회도 안전도우미
날마다 하는 교통봉사 힘이 생긴다
왜~~~함께 실천하니까
마미캅
금천파출소
녹색어머니회
금천경찰서

화이팅♥♥
안전!!!!!

무화과

사는 것
자라는 것
열매까지
이제 결실
.
.
주위에 땅도 없어요
바닥은 콘크리트로
그래도 갈라진 사이로
물은 들어가기에 ~~
탁경숙이와 닮은꼴~~~

마을특파원 탁경숙

금천구 마을특파원의 활동
협치를 위한 동네 알기
민, 관이 일심동체 되어
마을을 위해 발로 뛴다
동네의 장단점이 보인다
감사로 더 자세히 보자
구석구석
마을특파원 탁경숙~^^~
파이팅

두 분

마미캅 순찰 중
미끄러운 길 가시는 두 분….

서로에게 기회를 주며 대화를 주고받는 모습 혼자 말하는 것이 아닌 들어주고 손잡고 가시는 두 분의 뒷모습을 보면서
탁이의 마음에 행복감을 느끼게 한다.
또 우리들의 장래가 어떻게 될까? ~~생각하게 한다.

금천구 2017년 신년회 개최

금천구는 1월 6일(목요일) 오전 8시 30분부터
11시까지 남서울 힐스테이트아파트
2017년 신년하례식을 개최했다.

오늘 행사에는
우리 아파트 입주자 대표자님들과
남서울 힐스테이트아파트 관련
관계자분들과 직원들이
모두 함께하는 소중한 시간이었다
또한, 교육도 함께했다.
내용은
올 한해는
낮추자
비우자
버리자
웃자
탁경숙 감사님~~~^♥^

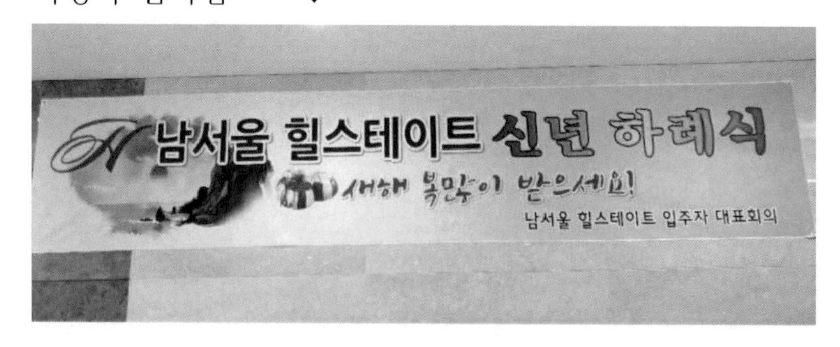

격려하는 삶

인생이란
마음의 여행길이다

우리는 지금
보이지 않는 것을 지향하며
굳건히 걸어가야 한다.

들어줄 줄 모르는 사람에게는
어떤 말을 해도 듣지 못하고 반발로….

남모르게 그 사람을 위하여 기도하자.

그러는 사이에 서로의 마음이 전해져
기도해준 분의 마음이 부드럽게 변하게 되니까.

사람들의 비판에 움직이는 사람은
인생의 완성 길에서 멀리 있는 사람이다.

맞지 않은 사람과 하나 될 방법은
나부터 먼저 마음을 바꾸는 일이다.

사람의 마음속에 있는
생각은 아무도 알 수 없다.

자신의 내면을 바르게 하려고 노력하지 않는다면
진정한 일치를 이룰 수 없다.

단지 자신만의 이익을 위해 사람을 이용한다면
그 관계는 오래가지 못한다.

사람들의 관계는 서로 존중해야 한다.
왜??
사람이 지닌 특성도 다르기에.

진실 있는 격려의 말은
사람들을 강하게 하고 자신감을 준다.

상대를 인정해 주는 것은
상대를 살려주는 것이며
삶의 윤활유가 되어 준다.

상대적으로 자만하고 교만한 것은
다툼의 원인이 된다.

중요한 것은 사람에게
어떤 마음으로 주는가 하는 것이다.

자기 자신에게 이익이 되는 것에만 관심을 두면
그 사람은 점점 작아지고 혼자가 되고 만다.

그러나 이웃의 도움에 마음을 쓰는 사람은
스스로가 성장할 것이다.

있는 그대로 자신이
나를 주변 환경에 맞추도록 하자.

남을 꾸짖는 것은 시간을 허비하는 것일 뿐
나에게도 상대방에게도 전혀 도움이 되지 않는다.

왜
당신은 많은 사람의 도움으로
살아가고 있기 때문이다.
그래서 우리는 죽는 날까지 누군가의 도움이
되는 사람이 되도록 힘써야겠다.

거센 바람은 한순간 모든 것을 가져가지만
잔잔한 바람은 마음을 평화롭고 기쁘게 한다.

큰바람과 같은 삶이 아니라
살랑~ 살랑한 바람과 같은 부드러운 마음으로 살자.

탁경숙~^^~

나눔 국민 대상

보건복지부 주관
대한민국
나눔 국민 대상
보건복지부장관상을
탁경숙이가 받았다
사랑 나눔실천에 있어서
한자리에서 부지런함으로
제자리를 지키며 나누어서 받게 되었다
그래서 만들어진
유공자 탁경숙
하나님 감사합니다

바다 위에서

바다 한가운데
바라보고 있으면 보이는 것은 출렁이는 물
바다 한가운데 있는 것 유일하게 내가 탄 배뿐.
배에서 보이는 또 하나 햇살에 비추어진
반짝반짝 이는 그 무엇.
그 무엇도 바로 출렁이는 바다의 몸 바로 물
하늘색에 따라 푸르게, 때론 회색으로
빛의 세기에 따라 금색으로 변하면서
너무나 큰 몸으로 지키고 있다.
동서남북 다 둘러보고 또 둘러봐도 보이는 건 하나
바다의 몸 물~~
바다 한가운데에는 유일하게 소리 내며
바다의 몸을 지나가는 내가 타고 있는 배.
자연의 아름다움을 느낄 수 있는 곳보다는
망망대해의 웅장함~
지금 바다 한가운데에는
내가 탄 배를 안고 몸을 준 바다
그리고 바다의 유일한 친구 하늘뿐….

깨달은 것

헤어진다는 것은 사랑의 가치를
귀하게….

훌륭한 부모는
바로
훌륭한 스승이다.

어떠한 이유도 변명도
책임을 회피할 수 없다.

괜한 두려움은
큰 기쁨을 방해할 뿐이다.

어떤 부모든
자식의 모든 문제를
해결해 주지는 못한다고 누구나 말한다.

우리의 슬픈 기억일수록
눈물을 흘리게 하며 여유로
다가오는 경우가 있다.

우리의 마지막 의무는
누구에게나 기억되는 존재있는 나가 되는 것이다.

송해 선생님을 보면서

어려운 상황을 대하는 태도와 방법에서
자기 삶의 모습을 만든다.

용서와 이해는 타인을 위한 것이 아니라
바로 나 자신에게 주는 실천,
바로 사랑이다.
탁경숙 넌 할 수 있어.

말

너의 입이 바로 너의
그릇이고 인격이다

보지 않았거든 보았다 하지
말고 듣지 않았거든 들었다
하지 말아라

그릇된 선입견이 너의 눈을
멀게 하고 요망한 세 치 혀가
너의 입을 갉는다.

겉이 화려하다고 그 사람
생활까지 요란한 게 아니며
차림새가 남루하다고 그 사람 지갑까지
빈곤한 것은 아니다.

그 사람과 말 한마디 섞어 보지 않았다면
너의 낮은 눈으로 너의 작은 그릇으로
그의 점수를 평하지 말라.
너 또한 나 또한 완벽지 않은 인간이다.

사람들은 입 때문에 망하는
사람이 많다.

칭찬에 발이 달려 있다면
험담에는 날개가 달려 있다.
나의 말은 반드시 전달된다.

그 사람에 대해 알지도 못하면서
추측하고 단정을 지으며 말을 지어내고
또 소문을 내고 남의 얘기 함부로 하지 말라.

남의 험담을 하는 것은 곧 그 사람을 부러워하고
시기 질투하는 것밖에 되지 않는다.

너의 입이 바로 너의 그릇이고 인격이다.

혀를 다스리는 것은 나지만
내뱉은 말이 결국 나를 다스린다

귀로 남의 그릇됨을 듣지 말고,
눈으로 남의 잘못을 보지 말며
입으로 남의 허물을 말하지 않으니
이것이 우리의 도리입니다.

내가 귀하다 해서 남을 천하게 여기지 말고
내가 크다고 해서 작은 것을 업신 여기지 말며
나의 용맹을 믿고서
상대를 가벼이 여기지 말아야 한다.

꽃잎이 모여 꽃이 되며
나무가 모여 숲이 되고
미소가 모여 웃음이 되듯,
기쁨이 모여 행복이 된답니다.
오늘도 따뜻한 말 한마디로 행복한 하루 만들어갔으면 합니다.

풀리게 한다

1. 긍정적으로 생각하라.
불행은 내 허락 없이는 오지 않는다.

2. 지혜의 씨앗을 뿌려라.
역경과 시련을 극복하는 과정에서 지혜가 생긴다.

3. 꿈을 품어라.
먹잇감을 보고 사냥개가 달렸다.
다른 개들은 그 사냥개를 보고 달렸다.

그러나, 다른 개들은 중간에 지쳐 중단했다.

그러나
사냥개는 목표가 있었기에
끝까지 달려 먹잇감을 쟁취했다.

4. 성취를 믿어라.
마음과 목숨과 힘을 다해
무언가를 사랑하는 것이
습관화되면 어느 것이든
성취할 수 있다.

5. 말을 다스리라.

생각과 말, 그중에 말이 이긴다.
생각은 스쳐 지나갈 뿐이지만,
말은 이루어낸다.

6. 습관을 길들여라.
'생각->행동->습관->인격->운명'
즉, 습관이 운명을 결정짓는다.

7. 절대로 포기하지 마라.
절망에 빠질 때라도 절대로
포기하지 말라.

경험

진정한 생의 에너지는
이타성에서 나온다고 한다.
이타적인 유전자가
인류를 살아남게 한다는
진화심리학자들의 연구,
사랑이 가장 힘이 세다고 제안하는
세계 종교의 지혜가 그 명제를
뒷받침한다.

용기(courage)라는 단어는
심장(coeur)을 뜻하는
프랑스어에 어원을 두고 있다고 한다.
심장이 뇌와 팔다리로 피를 보냄으로써
신체 기관이 작동하도록 하듯
용기는 정신의 모든 미덕이
가능하도록 하는 근원이다.

용기가 없다면 삶의 가치들을
실천하거나 이행할 수 없다.
우리가 한 걸음 성장하기 위해서
반드시 필요한 것도 용기이다.

- 소중한 경험 -

가장 아름다운 손

이른 아침부터 오는 비는
호루라기 부는 나는
힘이 든다
7시부터 7시 40분까지는
우리 고등학생들의 바쁜 아침
안전을 위해 부는 소리
7시50부부터 그다음 왕자들
중학생들의 해맑은 발걸음을 위한 호루라기
한 명의 학생도 무질서한 횡단은 없다.
왜♥나의 호루라기의 질서를 지키기에
다음~^^
나의 호루라기의 필요한 아이들
초등학생들의 등교가 시작되는 8시 20분 이후다
열심히 차의 흐름을 막지 않고
우리 아이들이 건너는 것을
도로 위에서
호루라기로 말을 하는데
초등학교 아이들이 내 곁에 와서
말한다
난 깜짝 놀라서 무슨 일이냐고 물었다
두 왕자님의 손에는 비닐과 유리병 등
여러 종류의 쓰레기를 들고 있다
난 물었다

길거리에 쓰레기가 많이 있어 주워왔다면서
나에게 보여주었다
난 얼른 내가 버릴 테니 날 주라 하고
받아 놓았다
그리고 교통봉사가 끝난 뒤
휴지를 주우려 하는데
교통봉사 하던 것을 지켜보던 공주님이 휴지를 주워주는
것이었다.
작은 손으로 물 묻은 휴지를 주워서 나를 주는 손
이보다 아름다운 손이 어디 있을까요
두 왕자님도 초등학교 2학년들
공주님은 6살
그리고 나의 손
이보다 더 아름다운 손들은 없다.
버리는 손이 아닌 줍는 우리들의 손이기에
귀하고 아름답다

인생을 좌우하는…

1. 생각하기
바른 생각에서 바른말이 나온다

2. 배우기
한결같은 스타일은 지루하다.

3. 판단하기
나는 지금 누구와 어디에 있는가?

4. 미소짓기
웃는 얼굴이 내 편을 만든다

5. 선택하기
해도 될 말과 해서는 안 될 말이 있다.

6. 사로잡기
오랫동안 집중할 수 있는 사람은 적다.

7. 표현하기
말은 나를 드러낸다

8. 균형 잡기
정도가 지나치면 역효과만 난다

9. 재생하기
이야기를 생생하게 재현하면 재미있다

10. 관찰하기
“제 말 듣고 계시죠?”

11. 조정하기
대화는 혼잣말이 아니다.

12. 경청하기
사람에게 입은 하나지만 귀는 두 개다

13. 통제하기
부정적인 이야기는 아무도 좋아하지 않는다

14. 칭찬하기
사람들은 칭찬에 약하다.

15. 질문하기
질문이 대화의 흐름을 결정한다

16. 알아채기
속단은 오해를 부른다

17. 조율하기
무엇보다 공감이다

18. 대답하기
긍정적인 대답이 긍정적인 관계를 만든다

19. 마무리하기
마무리가 좋으면 두고두고 기억된다

20. 현실에 접목하기
모든 대화가 선생님이다

21. 성공으로 연결하기
노력과 끈기가 인생의 성공을 완성한다

축하 글 1　　순수한 열정

소소한 일상의 모습들을
글로 표현하며 이루어가는
탁 대장님의 인생이 느껴집니다.

1년 365일 아침저녁으로
지역사회에 활동하고
늘 봉사하는 삶을 하면서
작은 일이나 사물에도
뭔가를 표현하고 담아가는 모습이 아름답습니다.

자연에 펼쳐진 각양각색의 자취들.
세상의 여러 변화들.
다양한 삶의 경험들 속에서
탁 대장님의 순수한 열정들을 느낍니다.

앞으로도
모든 것에 감사하며
행복하게 즐기며 탁 대장님의 꿈을 이루고
건강하게 화이팅하세요.

탁 대장님 사랑합니다.

남편 김요섭

축하 글 2　기적이네요

우리 사랑하는 어머니.
어머니!!
책을 출간하신다는 얘기를 들었는데
정말 축하드립니다.
항상 저에게 책 한번 내보고 싶다고 얘기하셨는데
그게 실제로 일어나다니 기적이네요.
항상 밖에서 고생하시면서 지내신 게 다 들어 오고 있는
첫 시작을 책을 쓰시는 것으로 한다고 생각이 됩니다.
책을 출간하는 기준으로
어머니의 삶이 더 좋고 많은 방법으로
긍정적인 에너지가 온 세계에
널리 널리 퍼지길 기도합니다.
항상 고생하시고 기도하며 실천하시는 어머니.
오래오래 행복하게 봉사하시면서 하고 싶은 것 하시면서
지내길 바래요.
사랑합니다.

큰아들 김은빈

축하 글 3 삶의 본보기

어머니 고맙습니다.
늘 봉사하며 제 삶의 본보기가 되시는 어머니.
봉사하거나 일상을 살면서
겪은 경험이나 풍경들을
글로 표현하시는 모습이 항상 대단하다고 느낍니다.
앞으로도 삶을 즐기며 화이팅 해 주세요.

고생하시는 어머니
힘내주세요.
어머니의 또 다른 꿈도 이루세요.
책 출간 축하드립니다!

사랑하는 작은 아들 김의현

추천사 1　사랑과 희생과 실천

사랑과 희생과 실천을 외치며
마을을 힘차게 섬기고 있는 분이 있다.

우리는 그녀를 탁 대장이라고 부른다
사람 냄새 물씬 풍기는 아름다운 금천과
서울시에서 탁 대장님과 함께 일한 세월이
어언 10여 년을 훌쩍 넘어섰다.

긍정의 마인드로
힘들고 아파하고 위험한 곳을 달려가
보듬어주며 달래주며 함께 해주는 그녀에게
많은 학생과 이웃들이
오늘도 손을 흔들며 인사하며 안아주며 지나간다

그녀는 오늘도 많은 사람을 섬기며
'사랑과 희생과 실천으로'라는 말을
남기며 그녀 스스로 실천하는 일꾼
일하는 일꾼 사랑으로 안아주는
행복한 일꾼이다.
오늘도 그녀의 움직임에
많은 이들이 행복해하고 있다.

금천생명수교회 이용곤목사

추천사 2 소녀의 순수함

"행복은 찾아오는 것이 아니라 늘 주위에 머무는 것"
이라는 말씀이
글을 읽으며 입가에 미소가 연신 머금게 됩니다.

글 속에는 때 묻지 않은 소녀의 순수함과
살아오며 나누신 수많은 봉사의 마음들이
고스란히 느껴져서 너무 따듯합니다.

코로나 시기
누군가에게는 큰 시련의 시간이었을 텐데
우리 마미캅 탁 대장님은
이 또한 나눔으로 따스하게 위로받게 됩니다.

1인 미디어콘텐츠 강사,
그린플루언서, 일상큐레이터 짱샘 장혜란

추천사 3 소통의 달인

1인 소셜미디어 시대에

나도 작가에 도전!!
2016년에 "글쓰기/책 쓰기 자격증 시험에
수석 하신 열정의 마미캅 탁경숙 작가님
드디어 책을 내시네요.
축하드려요.

페이스북을 통한 소통의 달인으로서
배워서 남 줘서 함께 성공하자!!

네이버 지식인의 지존이신
탁 대장님의 책 강추합니다.

한국메타버스연구원 최재용 원장

추천사 4 부지런하고 공의의 사람

'탁 대장', '여 다윗', '탁쌤' 그녀가 불리는 이름은 많다. 이제 그녀에게 '작가 탁경숙'이라는 말을 덧붙여만 할 것 같다. 10여 년 전 그녀를 처음 만났을 때 목소리 크고, 강한 주장을 가진 그녀와 절대 가까워질 일은 없을 거라 생각했는데 역시 인간사에서 '절대'라는 단어만큼 무의미한 것 없는 것 같다. 함께 한 시간이 길수록 그녀만큼 부지런하고, 공의로운 사람을 만나기 쉽지 않다는 사실을 깨닫게 되었다. 오랜 마을 일을 하다 보면 누군가는 내세우고 싶고, 자랑하고 싶고, 힘을 발휘하고 싶기도 할 텐데 내가 본 그녀는 언제나 한결같았다.

때론 그런 모습이 답답해 잔소리도 하고, 왜 저렇게 살아가는지 이해가 되지 않았지만 이젠 '세상에 한 명쯤은 이렇게 답답하고 순수한 사람이 있어도 괜찮지 않을까?" 하는 생각이 든다.

이젠 그 순수하고 답답한 사람이 오랫동안 감춰뒀던 자신의 버킷 리스트 중 하나인 작가에 도전한다. 오랫동안 단어 하나, 문장 한 줄 찬찬히 써 내려가면서 소중히 담아오던 글들을 사람들에게 소개하려고 한다.

그녀가 50 넘어 오직 본인만을 위한 행보를 시작하는 그 첫걸음에 가장 큰 응원과 감사를 보낸다. 이 책을 통해 그녀를 접하게 되는 사람들도 순수한 그녀의 감춰진 오랜 꿈을 느끼길 바라본다.

금천구 공동육아 공동체 대표 소현자

추천사 5　　고고지성(呱呱之聲)

그녀는 많은 일을 하는 봉사자이며
방황하는 젊은이들에 훈계와 사람을 주는 친구이지요.

그런 열정이 있어
시를 쓰며 사색에 잠기고
가끔은 붓끝으로 정성껏 한 획을 긋는 서예인입니다.

자기관리와 자존심으로
자기 삶의 일부를
가장 아름답게 슬프게 건져내는 탁월함으로
살아있는 시를 써서 고고지성(呱呱之聲)을 울리시었네요.

영원히 많이 쓰라고
계속 보고 싶다고 전합니다.

고고지성(呱呱之聲) : 세상에 나와 첫울음
처음 시작되는 기적

송명희(서예인)

편집자의 글 : 언제나 긍정 마인드로

작은 도서관에서 영어 독서클럽 강의를 한다고 해서 참가하여 알게 된 목사님께서는 고향이 전남 강진이었다.
제 고향인 장흥 바로 인근이라 친밀감이 생겼다.
퇴직하고 출판사를 차려 안부차 인사드렸더니, 회갑기념으로 블로그의 글을 모아 자녀분들이 책으로 선물했다고 자랑하셔서 그것을 읽어보고
내용이 너무 감동적이라 지난 2021년 『어디에나 길은 있다』라는 책을 정식으로 출판했다.
그때 같이 영어 수업을 듣던 마미캅 탁경숙 대장을 만나 알게 되었다.
지역사회에서 꾸준히 봉사하면서 행복하게 즐겁게 어디서나 언제나 웃으며 사시는 모습이 너무 보기 좋았는데, 하루의 일상을 늘 사진 찍고 글로 남겨두셨다. **언제나 긍정 마인드로 봉사하며 행복하게 어디서나 기뻐하며 사는 모습**을 보고
모든 독자가 그 감동을 함께 하길 소망한다.
지역사회와 함께 하는 즐거운 인생에
신앙이 접목하여 사람다운 향기를 보여 주는
마미캅 탁경숙 대장을 응원하며.

오태영 작가(진달래 출판사 대표)